UN MOT AUX PARENTS

Lorsque votre enfant est prêt à aborder le domaine de la lecture, *le choix*
des livres est aussi important que le choix des aliments que vous lui
préparez tous les jours.

La série **JE SAIS LIRE** comporte des histoires à la fois captivantes et
instructives, agrémentées de nombreuses illustrations en couleurs, rendant
ainsi l'apprentissage de la lecture plus agréable, plus amusant et plus en
mesure d'éveiller l'intérêt de l'enfant. Un point à retenir : les livres de
cette collection offrent *trois niveaux* de lecture, de façon que l'enfant puisse
progresser à son propre rythme.

Le **NIVEAU 1** (préscolaire à 1re année) utilise un vocabulaire extrêmement
simple, à la portée des très jeunes. Le **NIVEAU 2** (1re - 3e année)
comporte un texte un peu plus long et un peu plus difficile. Le **NIVEAU 3**
(2e - 3e année) s'adresse à ceux qui ont acquis une certaine facilité à lire.
Ces critères ne sont établis qu'à titre de guide, car certains enfants passent
d'une étape à l'autre beaucoup plus rapidement que d'autres. En somme,
notre seul objectif est d'aider l'enfant à s'initier progressivement au monde
merveilleux de la lecture.

*À John
—J.M.*

*À Susan Fidler
—A.L.*

Texte copyright © 1989 Joyce Milton
Illustrations copyright © 1989 Alton Langford
Publié par Random House, Inc., New York.

Version française
© Les Éditions Héritage Inc. 1990
Tous droits réservés

Dépôts légaux: 3e trimestre 1990
Bibliothèque nationale du Québec
Bibliothèque nationale du Canada

ISBN: 2-7625-6554-5   Imprimé au Canada

Photocomposition: Deval Studiolitho Inc.

LES ÉDITIONS HÉRITAGE INC.
300, Arran, Saint-Lambert, Québec J4R 1K5
(514) 875-0327

CES MERVEILLEUSES
BALEINES
ET AUTRES CÉTACÉS

Texte de Joyce Milton

Illustrations de Alton Langford

Traduit de l'anglais par
Marie-Claude Favreau

Niveau 3

EH **Héritage jeunesse**

Il y a des centaines d'années,
les gens croyaient que la mer
était peuplée de monstres
de toutes sortes.

Une très vieille légende

raconte qu'un jour, un homme appelé

Brendan prit la mer à bord d'une petite

embarcation avec deux de ses amis.

Ils naviguèrent si longtemps qu'ils

finirent par se perdre.

Enfin, ils aperçurent une île.

«Nous sommes sauvés !

s'écria Brendan.

Accostons et remercions Dieu. »

Brendan et ses amis
commencèrent à prier.
Soudain, l'île se mit à bouger !
Elle était vivante !
Était-ce un monstre marin ?
Pas du tout.
Les trois hommes se trouvaient
en fait sur le dos d'une baleine !
Ils furent si effrayés
qu'ils sautèrent dans leur bateau
et s'éloignèrent
aussi vite qu'ils purent.

Cette histoire n'est sans doute pas vraie.

Mais certains cétacés sont réellement

aussi gros qu'une petite île.

La baleine bleue (ou rorqual bleu)

est le plus gros de tous les cétacés.

C'est aussi le plus gros mammifère de la Terre.

Certaines baleines peuvent mesurer jusqu'à

33 mètres et peser près de 190 tonnes.

Un bébé baleine bleue

est plus gros qu'un éléphant.

Il y a environ soixante-quinze espèces de
cétacés. Le cachalot possède une tête
énorme. Il peut plonger à
plusieurs centaines de
mètres et retenir sa
respiration
pendant
75 minutes !

Le mâle narval a une longue dent
en forme de vrille qui peut
atteindre jusqu'à 10 mètres
de long !

Le cachalot pygmée est l'un
des plus petits cétacés.
Il a environ la taille d'un canoë,
ce qui est tout de même assez gros !

Autrefois, on croyait que les
cétacés étaient des poissons.

On sait maintenant que ce n'est pas le cas.

Ces animaux ne peuvent pas demeurer

continuellement sous l'eau.

Les cétacés respirent par un trou appelé

évent, situé sur leur tête.

Lorsqu'ils plongent,

ils retiennent leur respiration.

Lorsqu'ils remontent à la surface,

ils expirent.

Un gros jet d'air et de vapeur jaillit

alors de leur évent et s'élève

haut dans les airs.

Les cétacés sont

des mammifères.

Comme le chien,

le chat… et toi !

Le bébé mammifère

grandit dans le

ventre de sa mère.

Ce bébé baleine grise

vient tout juste de naître.

Sa mère et une autre baleine

le poussent rapidement vers

la surface où il prendra

sa première bouffée d'air.

Le bébé de la baleine est appelé baleineau.

Il boit le lait de sa mère,

tout comme les bébés humains.

Le bébé de la baleine grise

pèse une tonne environ.

Mais pour sa mère,

il est encore tout petit.

Généralement, les baleines

sont des animaux assez doux.

Mais une mère baleine grise

n'hésite pas à se battre

pour protéger son petit.

Le baleineau ne peut

pas nager très vite.

Un gros requin affamé

qui rôde aux alentours

pourrait devenir dangereux.

Mais la mère

est aux aguets.

Lorsqu'elle aperçoit le requin,

elle fonce sur lui.

D'autres baleines viennent l'aider. Ensemble,

elles nagent entre le requin et le baleineau.

Elles sont trop grosses pour

que le requin ose les attaquer.

Le requin n'est pas très intelligent.

Très vite, le manège des baleines l'étourdit

et il s'éloigne sans demander son reste.

Le baleineau est maintenant en sécurité.

Tout au long de l'hiver,

le petit nage et joue dans

les eaux chaudes des

côtes du Mexique.

Mais avec l'arrivée du printemps,

les baleines grises

entreprennent un long

périple vers les eaux froides

de l'Arctique et le baleineau

est du voyage.

Les baleines nagent jour et nuit.

Lorsqu'elles sont trop fatiguées,

elles montent à la surface

et font une petite sieste.

Au bout de leur long voyage,

les baleines grises ont faim.

Les eaux froides contiennent

beaucoup de krill

(de minuscules crevettes)

ainsi que d'autres créatures qui,

à première vue,

peuvent paraître bien trop petites

pour nourrir une baleine.

Pourtant, lorsque celle-ci ouvre la bouche,

elle avale beaucoup d'eau contenant une

multitude de ces minuscules animaux.

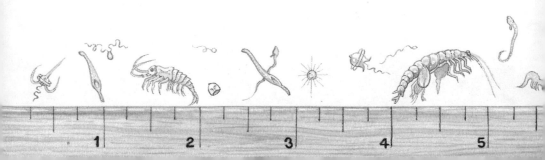

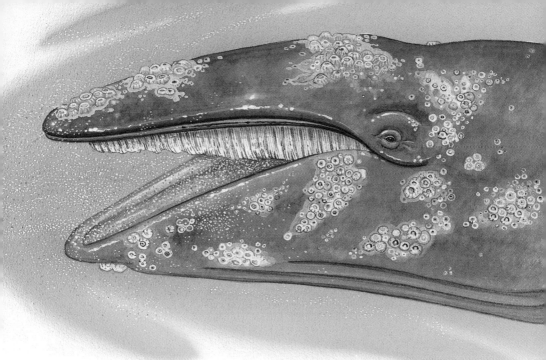

Comme beaucoup de cétacés,

la baleine grise n'a pas de dents.

Par contre,

elle possède des fanons,

de longues lames qui agissent

comme une passoire.

Lorsque la baleine recrache l'eau,

de nombreuses créatures

restent prisonnières de ses

fanons et lui fournissent un bon repas.

31

Au début, on ne savait pas que

les cétacés pouvaient émettre des sons.

Les matelots des premiers sous-marins

entendaient souvent des bruits étranges,

sans savoir de quoi il s'agissait.

CLIC! CLIC! CRRRRAC!

On aurait dit de la musique

venue de l'espace.

Les matelots furent

très étonnés d'apprendre

que les sons étaient produits

par les gros mammifères marins.

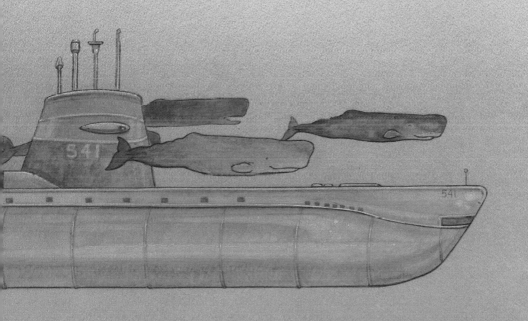

C'est la baleine à bosse qui

fait les sons les plus étranges.

On dirait qu'elle chante.

Avec sa tête couverte

de petites bosses,

cette baleine a

une drôle d'allure,

mais son chant

est très joli.

Les scientifiques ont enregistré le
chant de la baleine à bosse pour l'étudier,
mais ils n'ont pas encore découvert
ce qu'il signifie vraiment.

Le plus beau cétacé est

l'orque épaulard noir et blanc.

L'orque n'a pas de fanons,

mais de vraies dents.

Et quelles dents !

Elle se nourrit de

gros poissons et de phoques.

Il lui arrive aussi de

s'attaquer à d'autres cétacés.

Autrefois, les marins

la craignaient.

On sait maintenant que l'orque peut s'apprivoiser.

Dans de nombreux aquariums,

les orques sont les vedettes des

spectacles aquatiques.

Les orques aiment être cajolées

et elles adorent exécuter des tours d'adresse.

Elles sont aussi très intelligentes.

Parfois même, elles inventent

de nouvelles acrobaties

qu'elles montrent à leurs entraîneurs.

Pendant des siècles,

on a chassé les baleines.

À partir de leur

graisse très abondante,

on faisait de l'huile

pour les lampes qui

éclairaient les maisons.

À cette époque,

les baleiniers,

ces navires équipés pour la

chasse à la baleine,

passaient plusieurs

mois en mer.

Les baleiniers traquaient les baleines

dans les mers froides du Nord.

Parfois, ils restaient

prisonniers des glaces.

Certains ne revinrent jamais.

La chasse à la baleine

était un métier dangereux.

Lorsque les chasseurs trouvaient une baleine,

ils la poursuivaient à bord

de petites embarcations.

Ils lançaient leurs harpons

dans le dos de la baleine qui

faisait des efforts désespérés

pour leur échapper.

Une baleine effrayée pouvait

facilement renverser

une embarcation !

On a tué tellement de cétacés

qu'il n'en reste presque plus.

Depuis quelques années,

on cherche à les sauver et

on a adopté des lois pour les protéger.

Aujourd'hui, la plupart des gens ne

s'intéressent aux cétacés

que pour les admirer.

Les scientifiques observent les cétacés pour en

apprendre davantage sur leurs habitudes de vie.

Mais on peut aussi en faire

un simple divertissement.

Les cétacés eux-mêmes semblent prendre

plaisir à observer les gens.

On les voit quelquefois nager et jouer

de longs moments autour des bateaux.

Si un jour tu as la chance

d'observer des cétacés,

tu en verras peut-être bondir hors de l'eau.

Personne ne sait pourquoi

ces mammifères sautent ainsi.

Peut-être est-ce tout simplement

parce qu'ils sont heureux

d'être des cétacés !